OXFORD

La ville et l'université

MICHAEL WATTS

GW00375187

EN COUVERTURE: *La porte Danby qui conduit aux jardins botaniques fut offerte à l'université par le Duc de Danby en 1621. On voit à l'arrière-plan la tour de Magdalen College, achevée en 1509.*

EN COUVERTURE: *Située au confluent de deux fleuves, Oxford offre aux étudiants et aux visiteurs l'occasion de se détendre tandis que des amis énergiques et bien disposés les promènent sur des bachots.*

A DROITE: *Tom Tower, Christ Church, terminée par Sir Christopher Wren, près de l'emplacement d'une ancienne église médiévale démolie par le Cardinal Wolsey quand il commença à construire le collège.*

Bien que le nom d'Oxford soit mentionné pour la première fois dans la Chronique anglo-saxonne en l'an 912, on peut raisonnablement penser que ce site d'importance a été occupé et exploité bien longtemps avant le 10ème siècle. Sa position géographique, près du confluent de la Tamise et du Cherwell, en rendait le peuplement presque inévitable. Bien qu'il ait été situé trop bas et insalubre, peu de gens auraient pu ignorer son importance stratégique dans la situation politique d'alors, même si les Romains n'avaient tenu virtuellement aucun compte de la région durant leur occupation.

Son histoire ancienne est obscure et elle ne nous parvient que par des témoignages sporadiques, mais Oxford devint petit à petit le lieu d'importance considérable qu'il était vers l'époque de la conquête normande. Un historien a dit que dans les cinquante années qui précédèrent la conquête, Oxford vit davantage de rois anglais et leurs partisans qu'à aucun autre moment de son histoire.

La ville continua à se développer pendant le 12ème siècle, puis on trouve les preuves d'une amorce de déclin. Selon l'opinion la plus récente, on peut apprécier de visu l'étendue de la dépopulation qui eut alors lieu dans le jardin de Merton College, qui se trouve sur l'emplacement de dix ou douze maisons abandonnées, et dans la vaste étendue recouverte par le New College, acquise en 1370, qui se trouvait précédemment occupée par plus de trente maisons. Sans l'arrivée fortuite des étudiants, il est fort probable qu'Oxford aurait continué à décliner.

Il est difficile de savoir avec exactitude pourquoi l'université fut fondée à Oxford et non ailleurs. Divers facteurs eurent une influence. C'était un lieu où les biens-fonds étaient peu onéreux et facilement disponibles. L'endroit était éloigné du centre de la vie politique du pays et aussi loin que possible du pouvoir de l'autorité ecclésiastique locale, assignée à l'évêque de Lincoln, dans le diocèse duquel Oxford se trouvait alors

située. On pouvait facilement accéder à la ville de toutes les parties du sud et de l'ouest de l'Angleterre et l'accès au continent, par Southampton ou Bristol, était relativement facile. Ce dernier point fut important jusqu'en 1167, année où, pour des raisons politiques, Henri II interdit pratiquement aux Anglais d'étudier à l'Université de Paris. Ce fut peut-être ce veto royal, plus que toute autre chose, qui permit à l'Université d'Oxford de s'agrandir. On avait déjà fait vaguement allusion à des étudiants et à des conférences à Oxford—Théobald d'Etampes et l'homme de loi lombard Vacarius— mais à partir du milieu du 12ème siècle le nombre des étudiants d'Oxford semble avoir rapidement augmenté.

Quel genre d'homme vint y étudier à l'époque? Dans les 'Contes de Cantorbéry' Chaucer nous a laissé une relation pittoresque des escapades nocturnes fictives de l'étudiant galant, à la voix douce, dans le 'Conte du Meunier' ainsi que de deux autres, bien qu'ils soient de Cambridge, dans le 'Conte du Bailli'. Mais il a pris soin de faire la part des choses en donnant une description également frappante du clerc d'Oxford, trop étranger au monde pour rechercher un emploi séculier, dont le discours est plein de force morale, dont le souci principal est d'étudier, avide d'apprendre et également avide de communiquer son savoir dès que l'occasion s'en présente. De tels hommes n'appartenaient pas à la jeunesse dorée dont la place future dans la société était prédéterminée ou assurée. Les étudiants étaient le plus souvent les fils les plus intelligents de familles de la bourgeoisie qui quittaient leurs foyers, et prenaient

★

CI-DESSUS: *Au premier plan le Sheldonian Theatre et le bâtiment Clarendon. A l'arrière-plan, All Souls, le Schools Quadrangle, la Radcliffe Camera, l'église de l'université et la cathédrale de Christ Church.*

3

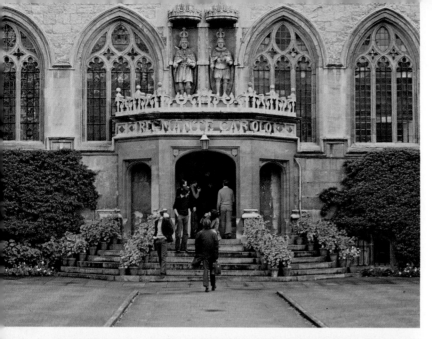

les ordres mineurs. Leur venue à l'université constituait la première étape sur le chemin de l'avancement professionnel et social. Pour ceux qui n'étaient pas nés dans les classes dirigeantes, c'était, à cette époque, la seule voie ouverte à la promotion au sein de l'église et donc de la vie politique du pays. Thomas Wolsey, qui vint d'Ipswich (où son père était boucher) au Magdalen College nous offre un exemple de carrière de ce genre. Il parvint à devenir la personne la plus puissante à la cour du roi Henri VIII pendant les premières années de son règne. 'Tous ceux qui aspiraient à devenir, de par leur intelligence, fonctionnaires, secrétaires de grands hommes, médecins, architectes ou hommes de loi ecclésiastiques devaient prendre les ordres mineurs et passer par l'université.'

De même que dans les premiers temps d'une union il y a souvent des périodes de tension et de désaccord pendant que les deux époux apprennent à s'accorder, le développement de la relation entre l'université et la ville fut tendu et il y eut de temps en temps des explosions de violence et des effusions de sang. Les habitants de la ville exploitaient souvent les étudiants. Au marché, on les trompait et on leur demandait des sommes exorbitantes. On trouve également des preuves évidentes de comportement provocant de la part des étudiants, ou du moins de certains d'entre eux. En 1209 il y eut provocation accidentelle dans la mesure où ils ne semblent avoir eu aucune intention de tuer une habitante de la ville. Pour venger sa mort, les citadins tuèrent sommairement trois étudiants innocents. Face aux lynchages, les autres étudiants quittèrent la ville et certains se dirigèrent vers les pays marécageux de l'est pour s'établir à Cambridge et y fonder le noyau de l'université. Il fallut longtemps pour arranger les choses, et ce ne fut qu'au bout de quatre ans que la communauté universitaire se fixa à nouveau à Oxford. L'arrangement, ainsi que ceux qui suivirent après les différends entre la ville et l'université, tourna à l'avantage de l'université. Presque tous les différends furent réglés de façon à lui donner davantage de privilèges, si bien que vers le milieu du 15ème siècle 'la ville avait été écrasée et presque entièrement soumise à l'autorité de l'université. Les citoyens vivaient donc dans leur propre ville à peu près comme des ilotes ou les sujets d'un peuple conquérant'.

Le choc le plus mémorable entre

l'université et la ville eut lieu lors de la grande émeute le jour de la Sainte-Scholastique, en février 1355. Une querelle entre certains membres de l'université et un cabaretier dégénéra et s'étendit finalement à toute la ville. Les citoyens se rallièrent à Carfax, à l'appel de la cloche de l'église de la ville, Saint-Martin, tandis que les étudiants répondirent au tintement rival de la cloche de l'église de l'université dans High Street. La partie de la rue située entre ces deux églises était le champ de bataille traditionnel des deux factions, et un historien de l'université a remarqué : 'Il n'y a probablement pas un seul mètre de terrain à quelque endroit de High Street, entre Saint-Martin et Sainte-Marie qui n'ait, à un moment ou à un autre, été maculé de sang. Il existe des champs de bataille historiques où l'on en a versé moins.' Dans un grand emportement d'ardeur anticléricale les citoyens furent aidés par les forces insurgées des villages voisins. Les auberges et les fondations universitaires furent pillées et incendiées et les livres des étudiants furent détruits. Même les églises ne pouvaient offrir leur asile coutumier aux étudiants surpassés en nombre. Avec raison ils s'enfuirent de la ville et n'y revinrent que lorsqu'un pardon général fut accordé aux clercs. Même à ce moment là, quatre mois plus tard, nous trouvons trace de la supplication d'Edouard III aux professeurs, leur demandant de reprendre leurs cours et de faire retrouver à l'université son activité normale. Il était fort naturel qu'il soit inquiet face à une aussi longue rupture dans l'éducation

★

CI-CONTRE, EN HAUT: *Oriel College, 'la maison de la Sainte-Vierge à Oxford', pour lui donner son titre en entier. Il fut fondé par Edouard II, dont on voit la statue dans l'une des deux niches au-dessus de l'escalier qui mène à la grande salle. L'autre statue est celle de Charles Ier.*

CI-CONTRE, EN BAS: *University College; la porte qui mène à Radcliffe Quadrangle. Ses statuts datent de 1280.*

A DROITE: *L'église universitaire de la Sainte-Vierge, la troisième à être bâtie sur cet emplacement. Utilisée autrefois comme bibliothèque, trésor, lieu de réunion et palais de justice, elle était aussi le théâtre des discussions académiques formelles et l'endroit où l'on accordait les grades universitaires.*

d'une partie précieuse et importante de l'administration. Après tout, les relations diplomatiques avec la France étaient telles que les jeunes gens pouvaient difficilement se rendre à Paris pour terminer leurs études!

Quand les étudiants commencèrent à s'établir à Oxford au 12ème siècle, ils vivaient comme ils le pouvaient, logeant dans les auberges ou chez l'habitant, ou en se groupant quand certains louaient une maison pour leur usage exclusif. Ils étaient venus simplement pour être membres de l'université, il n'existait pas de collèges où se rendre. L'arrivée des moines au 13ème siècle, qui faisait partie de la grande vague d'influences étrangères qui avait envahi la Grande-

CI-DESSUS: *La bibliothèque, Queen's College. Le collège, fondé en 1341, subit une transformation architecturale complète. Le processus commença vers la fin du 17ème siècle et cette bibliothèque fut construite entre 1692 et 1695, peut-être sur les plans du doyen Aldrich de Christ Church. L'architecture spacieuse du 18ème siècle le rend suréminent parmi les collèges d'Oxford et de Cambridge.*

A GAUCHE: *New College Chapel. Le retable actuel date de 1888. Les vitraux du chœur sont du 18ème, ceux de la Ante Chapel du 14ème. La crosse du fondateur est enchâssée sur le mur nord du chœur. Tout près se trouve le tableau d'El Greco représentant Saint Jacques, offert en 1961. Le vitrail ouest fut exécuté d'après les cartons de Sir Joshua Reynolds.*

CI-CONTRE: *Merton College. Ce ne fut que petit à petit que ces bâtiments prirent l'aspect familier d'une cour d'honneur d'Oxford. Mob Quad est le résultat d'une accumulation graduelle de bâtiments et non pas d'un plan préconçu. Cette formation fortuite fut délibérément adoptée par le fondateur de New College, dont les bâtiments servirent de modèle à toutes les grandes fondations ultérieures.*

Bretagne à la suite de la conquête normande, devait contribuer à faire la réputation de la jeune université. On ne résoudra jamais la question de savoir quel collège fut fondé en premier, tant il y a de subtilités d'interprétation en cause. Balliol fut fondé en 1263 comme pénitence imposée par l'évêque de Durham. University College avait reçu sa dotation originale en 1249 mais on prétend que Merton College fut le premier à atteindre une véritable existence collégiale, car il fut fondé peu de temps avant Balliol par Walter de Merton qui fut jadis Chancelier d'Angleterre. Exeter (1314), Oriel (1326) et Queen's College (1341) suivirent. La fondation de New College (1379) par William de Wykeham, évêque de Winchester, servit de modèle à toutes les fondations suivantes, bien qu'un demi-siècle le sépare de la fondation du collège suivant, Lincoln (1427). Ce dernier fut fondé en tant que bastion et pour réagir contre les enseignements de Wycliffe qui avaient secoué l'université. Wykeham fut le premier fondateur à avoir l'idée de créer un collège qui ne soit pas simplement un hôtel garni doté pour étudiants, 'mais une maison communautaire qui puisse rivaliser, par la splendeur de ses bâtiments et la dignité de sa vie de corporation, avec les grandes institutions capitulaires et monastiques'. Il l'associa à son école de Winchester, la première 'public school' (école privée) anglaise. Tandis que tous les collèges n'avaient précédemment admis que les diplômés, Wykeham pourvoyait aux besoins de ceux qui devaient encore passer leur diplôme et Wayneflete suivit ce principe quand il fonda Magdalen (1448). Peu de temps avant que Wayneflete ne fonde ce que de nombreuses personnes considèrent être le plus beau des collèges d'Oxford, l'archevêque Chichele avait fondé All Souls (1438), en mettant l'accent tout spécialement sur l'étude du droit canon et du droit civil dans l'attribution des titres de membre. A la vraie façon médiévale, ce devait être une maison de prière et d'étude. All Souls reste de nos jours un collège sans corps étudiant.

Dans la charte de fondation du Brasenose College (1509) peu de choses indiquaient qu'un impact quelconque ait été fait par le ferment intellectuel de la Renaissance, mais la charte du Corpus Christi College (1517) indique clairement les changements. Fondé par l'évêque Fox, de Winchester, homme d'état distingué qui entraîna Wolsey dans la politique, il était destiné à être

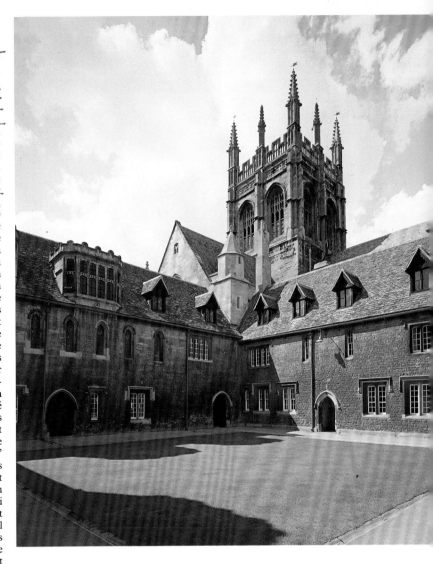

non pas un collège monacal mais un lieu d'éducation libérale comme on n'en avait pas connu jusque là à Oxford. L'étude de la théologie y figurait encore en très bonne place mais elle devait être fondée sur l'étude des Pères de l'Eglise plutôt que d'être poursuivie à la manière médiévale traditionnelle. Les dispositions nécessaires étaient prises pour l'enseignement du grec comme du latin, et pour cette seule raison Erasme était prêt à déclarer que ce serait 'l'une des gloires majeures de la Grande-Bretagne'.

Huit ans plus tard on posa la première pierre du plus grand des collèges d'Oxford. D'abord connu sous le nom de Cardinal College, il l'est maintenant sous celui de Christ Church. Après

avoir supprimé le prieuré de Sainte-Frideswide, le Cardinal Wolsey proposa de construire sur les lieux un collège qui, selon un contemporain, était conçu pour 'surpasser non seulement tous les autres collèges mais même les palais des princes'. Les statuts originaux prévoyaient un établissement grandiose, mais quand Wolsey fut déchu son collège inachevé fut confisqué par la monarchie. En 1532, le roi fonda un nouveau collège sur les mêmes lieux et le rebaptisa King Henry VIII's College. Il ne dura que jusqu'en 1545, et l'année suivante le roi fonda Christ Church, réunissant la cathédrale du récent siège épiscopal d'Oxford au collège. Ce devait être à la fois une cathédrale et un collège, non pas deux institutions existant côte à

7

côte, mais un endroit comme All Souls avec une double fonction. All Souls avait été collège et chantrerie, Christ Church devait être collège et cathédrale, arrangement tout à fait médiéval qui existe encore de nos jours, malgré tous les changements qui ont eu lieu au sein de l'église et de l'état. Le collège resta tel que Wolsey le laissa pendant près de cent ans. Tom Tower fut terminée par Sir Christopher Wren, mais les arches autour de Tom Quad rappellent au visiteur les plans non réalisés de Wolsey concernant la galerie couverte d'un collège différent de celui qui existe aujourd'hui.

Les fondations de Trinity College (1555), de St John's College (1555) et de Jesus College (1571) marquent le point culminant de cette période remarquable du développement de l'université. Elles indiquent aussi l'arrivée d'un type de fondateur inconnu jusque là. Trinity College fut fondé par Sir Thomas Pope, et quelques semaines plus tard St John's College fut fondé par Sir Thomas White. Les deux collèges doivent leurs origines à des hommes qui s'étaient enrichis lors des changements sociaux et économiques qui résultèrent de l'accession au pouvoir des Tudors. Pope, bien qu'ami de Sir Thomas More, trouva possible et à son avantage de travailler avec Thomas Cromwell. Comme beaucoup d'autres, il se saisit de biens immeubles à la dissolution des monastères (trente seigneuries qui avaient jadis appartenu aux monastères) et devint par conséquent un grand propriétaire foncier de l'Oxfordshire. Comme Pope, le fondateur de St John's College, un marchand-tailleur, était un partisan dévoué de l'ancienne religion

*

A GAUCHE: *La tour et le cloître de Magdalen College, fondé par Wayneflete, évêque de Winchester, à qui l'on donna la permission de fonder Magdalen Hall pour l'étude de la théologie et de la philosophie. Plus tard on lui donna l'hôpital de Saint Jean-Baptiste à l'extérieur de la porte est. Tous deux furent absorbés à l'intérieur de Magdalen College.*

CI-CONTRE: *Le jubé de la chapelle, All Souls College, une des chapelles les plus charmantes de tous les collèges d'Oxford. Le jubé date du 17ème siècle mais il fut remodelé en 1716. Le retable restauré domine l'extrémité est. Toutes les statues sont du 19ème siècle. Les vitraux médiévaux sont particulièrement remarquables.*

8

et il fonda son collège 'pour renforcer la foi orthodoxe dans la mesure où elle est affaiblie par les dommages du temps et la malveillance des hommes'. À l'époque où Jesus College fut fondé—nommément par Elisabeth Ière, mais en fait par le trésorier de St David's Cathedral si la dignité en échoit à celui qui dote la fondation—il était possible de dédier un collège à la recherche de la vraie religion, ce terme signifiant sa version réformée, donnant par conséquent au collège la distinction d'être le premier collège protestant d'Oxford.

Dans les années qui séparent la fondation de Cardinal College et celle de Jesus College, l'Angleterre avait souffert le martyre sur le chemin de la Réforme et peu de gens auraient pu s'attendre à ce que l'université s'en tire aussi facilement qu'elle le fit, compte tenu des liens très étroits qui avaient existé entre l'université et l'église depuis sa fondation trois siècles plus tôt. 'Aucune institution ne dépendait davantage de l'église que l'université. Aucune ne devait plus à la juridiction spéciale et aux immunités que garantissait le clergé. Aucune n'avait plus à craindre d'une réaction anticléricale.' L'université eut à lutter contre une inspection officielle d'hommes qui avaient très peu de sympathie pour l'ancien système d'éducation et, plus tard, le choc résultant de la suppression

★

CI-CONTRE, EN HAUT: *La salle à manger de Brasenose College, que l'on appelle souvent BNC. Il doit son nom au heurtoir de la grande salle qui occupait jadis cet emplacement. On peut voir un nez d'airain (brazen nose) sur les panneaux derrière la grande table.*

CI-CONTRE, EN BAS: *Corpus Christi College. Le cadran solaire, au milieu de la cour pavée, fut érigé en 1581. Le calendrier perpétuel y fut ajouté en 1606. Il ne perdit pas son argenterie pendant la guerre civile et possède par conséquent des pièces domestiques et ecclésiastiques en vermeil qui sont sans prix.*

EN HAUT, A DROITE: *La chapelle de Trinity College fut rebâtie en 1691-1694 pour remplacer un édifice plus ancien qui était tombé en ruines. Elle fut conçue par le doyen Aldrich de Christ Church, peut-être conseillé par Wren. On pense que les boiseries sont de Grinling Gibbons et le plafond peint par Pierre Berchet.*

des monastères se fit pleinement sentir. Au milieu de toute cette incertitude, Henri VIII donna à l'université plusieurs garanties quant à son avenir, mais lorsqu'il mourut et qu'Edouard VI lui succéda, toutes les craintes premières renaquirent, car ce nouveau règne signifiait le triomphe des principes de la réforme, et les protestants eurent préséance à l'université. D'autres inspections s'ensuivirent et des examens religieux, expédient qui devait être à l'origine d'ennuis sans fin par la suite, furent introduits. Avec l'accession au trône de Marie ce fut complètement l'inverse et les protestants allèrent se réfugier sur le continent. On entendit à

nouveau la messe et les vêtements sacerdotaux qui avaient été cachés réapparurent. L'événement le plus notable de l'époque à Oxford fut le procès et l'exécution de l'archevêque Cranmer et des évêques Latimer et Ridley. Ils furent conduits à Oxford pour défendre leurs croyances et déclarations au sujet de l'eucharistie en 1554, et languirent en prison pendant dix-huit mois après le début du débat. En septembre 1555 leur procès fut ouvert à l'église de l'université. Moins d'un mois après ils furent condamnés pour leurs opinions et Latimer et Ridley furent brûlés sur le bûcher face à Balliol College. Cranmer les suivit quelques

Suite page 14

CI-DESSUS: *La chapelle de Pembroke College, construite en 1728, fut enrichie et embellie par C. E. Kempe en 1884. Le Dr Samuel Johnson fit partie de ce collège*

pendant 14 mois et la bibliothèque contient quelques-uns de ses manuscrits.

CI-CONTRE: *Christ Church Cathedral. Jadis prieuré de Sainte-Frideswide, elle*

devint à la fois chapelle du collège et cathédrale du diocèse d'Oxford nouvellement formé, qui avait été détaché du diocèse médiéval de Lincoln en 1546.

mois plus tard, ayant fait une déclaration dramatiquement provocante et inattendue quant à ses croyances à l'église Sainte-Marie avant d'être emmené précipitamment à la mort.

Avec l'accession au pouvoir d'Elisabeth Ière les choses commencèrent à changer encore une fois, mais sans grande hâte. Pour l'université ce fut une période d'adaptation plutôt que de changements dramatiques.

Deux collèges seulement furent fondés à l'époque où les Stuarts étaient rois d'Angleterre. Dans les premières années du règne de Jacques Ier, Nicholas Wadham, propriétaire foncier de l'ouest très connu, fonda le collège qui porte son nom, sur l'emplacement d'un ancien prieuré augustin. En 1624, Pembroke College fut fondé dans l'ancien Broadgates Hall et prit le nom du Chancelier de l'université de l'époque, le Comte de Pembroke. Il y eut ensuite une accalmie dans la fondation de collèges, mais on construisit rapidement dans les collèges déjà existants et dans l'université, dans la mesure où les circonstances politiques et économiques le permettaient.

La première bibliothèque de l'université avait été construite au 14ème siècle dans l'église de la Sainte-Vierge, qui était alors au centre de la vie de la jeune université. Au 15ème siècle, Humfrey, Duc de Gloucester, avait fait don à l'université d'une collection précieuse de manuscrits, alors abritée dans un endroit qui lui fut consacré, situé au-dessus de Divinity School, alors en construction. Cette bibliothèque fut ensuite dispersée. En 1598, se retirant de la politique, Sir Thomas Bodley décida de consacrer le reste de sa vie à rétablir la bibliothèque de l'université et contribua lui-même au projet de façon considérable. La bibliothèque restaurée fut ouverte officiellement en 1602 mais il devint rapidement nécessaire de l'agrandir. Pour ce faire on profita de la construction de Schools Quadrangle (la cour d'honneur) après l'addition de 'Arts End' en 1612.

Pendant longtemps il y avait eu un malaise grandissant quant à l'utilisation continue de l'église de l'université pour des occasions séculaires de même que pour les services. Après la Restauration le Sheldonian Theatre fut construit pour servir de salle des fêtes à l'université. Ce fut un cadeau de Sheldon, archevêque de Cantorbéry, et la première commande architecturale passée au jeune Christopher Wren, alors professeur d'astronomie à l'université. Le bâtiment Clarendon (1713), qui se trouve près du Sheldonian, abritait à l'origine la presse de l'université. Il avait été construit avec le produit de la vente du récit que le Comte de Clarendon fit de cette guerre civile qui marqua si profondément Oxford au 17ème siècle.

Pendant la guerre civile l'université était à prédominance royaliste, comme on aurait pu s'y attendre. Le roi, quittant Londres, y amena sa cour. Il vécut lui-même à Christ Church et sa reine tout près, à Merton College. Loyalement l'université et les collèges individuels remirent argent et argenterie au Trésor Royal pour financer la résistance du roi au parlement, se préparant en même temps avec enthousiasme à la lutte qu'ils voyaient inévitablement s'ensuivre. En

*

A GAUCHE: *Divinity School, la plus ancienne salle de conférences d'Oxford, bâtie pendant le 15ème siècle pour l'enseignement de la théologie. Sa construction fut gênée par le manque de fonds et on mit 60 ans à l'achever. Les voûtes sont un chef-d'œuvre d'architecture gothique et ont peut-être été conçues par William Orchard (mort en 1504), un des principaux maîtres-maçons d'Oxford.*

fin de compte tout cela fut parfaitement inutile. Oxford se rendit à l'armée du parlement et le roi fut obligé de fuir la ville, déguisé en domestique. De cette époque jusqu'à la Restauration en 1660, la vie de l'université fut gravement perturbée. Une politique de résistance passive fut adoptée à l'égard du pouvoir parlementaire. Certains royalistes s'enfuirent et les personnes nommées par Cromwell firent intrusion dans des collèges rétifs. Dans une telle situation on peut s'étonner que de petites oasis d'érudition prospèrent, mais il existe des preuves abondantes que toute activité savante ne fut pas abandonnée. Après les années d'agitation et de désordre il n'est guère étonnant que les nouvelles de la Restauration furent accueillies avec un aussi fol enthousiasme.

Il est d'usage de décrire les 150 années suivantes de la vie de l'université comme une période de déclin et de délabrement, et il existe des preuves pour soutenir cette affirmation. Gibbon, se souvenant du temps qu'il passa à Magdalen College, écrivit: 'A mon époque les membres étaient convenables et tranquilles et jouissaient nonchalamment des cadeaux du fondateur. Ils avaient déchargé leur conscience de la tâche d'étudier, de penser ou d'écrire et les premières pousses de savoir et d'ingéniosité se flétrissaient sur le sol sans produire aucun fruit.' Il découvrit plus tard qu'il y avait des signes plus encourageants dans un autre collège et dit à ses lecteurs: 'Sous les auspices des doyens récents, une discipline plus régulière a été introduite à Christ Church. Apprendre est devenu un devoir, un plaisir et une mode.' Malgré cela, les statistiques montrent qu'il y eut un déclin dans le nombre de ceux qui désiraient venir à l'université. Un trait marquant de l'époque fut le déclin des admissions d'enfants de la noblesse. Il semble qu'Oxford n'offrait plus l'éducation qu'un homme de qualité voulait pour ses enfants.

★

A DROITE: *Convocation House à l'extrémité ouest de Divinity School. Construite de 1634 à 1637 on y traitait autrefois les affaires de l'université. Le parlement national s'y réunit plusieurs fois quand la peste le chassa de Londres. Le réseau en éventail y fut introduit pendant le 18ème siècle. Tout près se trouve la Cour du Chancelier où se tenaient les procès concernant les membres de l'université.*

Même si on ne fonda qu'un seul collège au 18ème siècle—Worcester (1714)—le visage d'Oxford changea de beaucoup d'autres façons. Des modifications importantes furent faites aux bâtiments déjà existants à Queen's, All Souls, Christ Church et Magdalen et des vestiges de la ville médiévale—la porte nord de la ville et la prison Bocardo—furent enlevés. On parla même de remplacer l'église de l'université par un bâtiment de style classique!

Vers la fin du 18ème siècle on critiquait de plus en plus la vie de l'université à l'extérieur et à l'intérieur même de ses murs. Bien entendu, pour certains, qui furent peut-être tout d'abord une

majorité, l'idée d'une réforme de quelque sorte qu'elle soit semblait odieuse. Mais tout au long du 19ème siècle il devint de plus en plus évident que des changements s'imposaient et la bataille s'engagea. En somme deux théories quant au rôle de l'éducation universitaire s'affrontaient. 'Pendant des siècles Oxford a été le berceau de l'église anglicane. L'éducation reposait dans les mains de son clergé, qui possédait presque tous les titres de membres et envisageait généralement une carrière dans l'église au sortir de l'université. L'admission était réservée aux anglicans.' Dans un tel système l'éducation ne tenait pas compte des

vocations (à part pour le clergé) et on s'attachait plus à éduquer le jugement et à inculquer la morale chrétienne qu'à faire progresser l'érudition. Pourtant en quelques années l'église anglicane en avait fatalement perdu le monopole. Par une succession d'actes du parlement (à commencer par l'acte d'Oxford en 1854) l'université fut rendue libérale, les anciennes restrictions furent abolies et le principe de la concurrence fut établi. Le caractère de l'université devint de plus en plus séculier, et l'abolition graduelle des examens et des serments l'ouvrit aux milieux de la communauté qui en étaient pratiquement exclus. L'érudition fut stimulée par la création de titres de membre et par l'augmentation du nombre des professeurs.

Dans une telle situation la fondation de Keble College, en 1870, fut accueillie avec joie par certains, dans la mesure où l'on prévoyait de le faire fonctionner de façon à permettre l'admission à ceux qui n'avaient pas pu se permettre jusqu'alors une éducation à l'université. Mais certains autres la virent avec suspicion car ils craignaient qu'on ne perpétue les attitudes religieuses fondamentales auxquelles les esprits libéraux et réformateurs de l'université s'étaient si vigoureusement opposés et qu'ils avaient attaquées. Nommé d'après

*

EN HAUT, A GAUCHE: *St Catherine's College, fondé en 1962 et conçu par Arne Jacobsen qui fut chargé non seulement des bâtiments, mais aussi des jardins, de l'ameublement et de l'argenterie du collège. Les travaux furent financés par l'industrie, le commerce, des bienfaiteurs privés et des œuvres de bienfaisance.*

EN BAS, A GAUCHE: *St Anne's College, incorporé en 1952, est un autre collège moderne auquel ont contribué plusieurs architectes modernes. La peinture murale est de Stefan Kapp.*

CI-CONTRE, EN HAUT: *St Edmund Hall, la seule grande salle médiévale qui subsiste de nos jours. Elle s'est récemment considérablement étendue et l'église voisine, St Peter-in-the-East, sert maintenant de bibliothèque au collège.*

CI-CONTRE, EN BAS: *Nuffield College (1937) a pour but d'encourager la recherche dans le domaine des sciences sociales en facilitant la coopération entre les universitaires et ceux qui ne le sont pas. Ce fut le premier collège à admettre à la fois les hommes et les femmes.*

John Keble, figure marquante du mouvement oxfordien du début du 19ème siècle, il eut le soutien généreux de ceux qui souhaitaient voir la tradition chrétienne, et plus particulièrement anglicane, conservée dans l'université. Par contre il fut contesté par ceux qui pensaient que la position de l'église contribuait à des attitudes bornées et à un obscurantisme qui n'avait aucune place dans un établissement d'éducation moderne.

Dans les cent années qui se sont écoulées depuis l'achèvement de la réforme de l'université du 19ème siècle, deux faits nouveaux, d'importance considérable, ont affecté le caractère de l'université : l'admission de femmes, avec pour conséquence la fondation et la croissance de collèges qui leur sont réservés, et la place de plus en plus importante accordée dans les programmes aux études scientifiques, entraînant le développement de la Science Area (superficie réservée aux sciences), ce qui a permis aux architectes modernes d'apporter leur importante contribution à l'aspect d'Oxford.

Rien peut-être n'a évolué plus rapidement que l'éducation des femmes, à commencer par la formation d'une association pour l'instruction supérieure des femmes à Oxford en 1878 et la fondation subséquente de deux résidences : Lady Margaret Hall, réservée aux anglicanes et Somerville, sans restriction quant à ses membres. Sept ans plus tard St Hugh's et en 1893 St Hilda's virent le jour. La société des étudiantes d'Oxford, qui devait devenir St Anne's College en 1952, avait été fondée en 1879. Le chauvinisme masculin forma une résistance bruyante tout à fait prévisible. On pensait qu'il y avait quelque chose d'inconvenant, sinon de dangereux, dans le fait de permettre à certaines des futures mères de la nation d'étudier et de travailler sans restrictions! Il y avait cependant un certain illogisme à permettre aux jeunes femmes, dûment chaperonnées, d'assister aux conférences et de passer des examens, mais sans leur permettre de recevoir des grades. On ne remédia à cet état de choses qu'en 1920, et en ce qui concerne les grades en théologie qu'en 1935! Aujourd'hui de nouvelles mesures ont été prises et beaucoup de collèges ont changé leurs statuts de façon à leur permettre d'admettre les femmes à ces domaines jusqu'ici réservés exclusivement aux hommes.

Deux guerres mondiales et des changements sociaux se succédant à

une vitesse inconnue jusqu'alors ont transformé Oxford. La présence obligatoire à la chapelle est chose révolue, les heures de fermeture des portes appartiennent presque au passé et les étudiants vont et viennent avec une liberté qui étonne même leurs pères, quand ils se rappellent les limitations qui existaient immédiatement après la deuxième guerre mondiale. La réforme administrative a aussi été un trait caractéristique de l'époque, vue avec suspicion dans certains milieux par ceux qui craignaient pour l'indépendance des collèges dans les processus de plus en plus centralisateurs de l'administration de l'université. Certains seraient encore d'accord avec le point de vue exprimé par Lord Hugh Cecil: 'Réformer l'université! Vous feriez tout aussi bien de réformer un fromage—il y a une certaine saveur dans une université comme il y en a dans un fromage, saveur qui provient de son ancienneté et qui peut facilement disparaître si on le malmène.' Jusqu'à présent Oxford a eu de la chance. Elle n'a pas perdu son caractère distinctif malgré tous les changements.

Tout au long de leur histoire les collèges ont largement dépendu des services loyaux et affectueux de générations successives de citadins, même si les relations officielles entre la ville et l'université ont parfois atteint le point de rupture. Dans un coin de cloître à Christ Church on trouve une plaque commémorative, posée en 1787, devant laquelle on voit souvent les visiteurs

Suite page 22

★

CI-CONTRE ET EN HAUT A DROITE: *Le Sheldonian Theatre, offert à l'université par Gilbert Sheldon, archevêque de Cantorbéry. L'architecte en fut le jeune Christopher Wren qui avait à l'époque peu d'expérience pratique. Le toit de Wren fut rebâti en 1802 et une coupole trop grande remplaça son œuvre originale en 1838. Le bâtiment fut restauré en 1959-1960. Le plafond peint—la vérité descendant sur les arts et les sciences—œuvre de Robert Streater, maître peintre du roi, fut exécuté dans son atelier de Whitehall.*

EN BAS, A DROITE: *Le Chancelier, les censeurs, les directeurs des maisons et les docteurs de l'université se rendent en procession au Sheldonian Theatre pour remettre des grades honoraires à Encaenia. Ils ont auparavant goûté à l'offrande de Lord Crewe—fraises et champagne—au collège du recteur.*

19

CI-DESSUS: *Une des nombreuses galeries du musée Ashmolean.*

A GAUCHE: *Toujours dans l'Ashmolean une partie d'"Une chasse dans la forêt" par Uccello. Le musée abrite l'une des plus belles collections de dessins de Michel-Ange et de Raphaël, une collection célèbre d'instruments de musique et une collection de pièces de monnaie qui se classe seconde après celle du British Museum. Une section entière est consacrée à l'art oriental et parmi les antiquités britanniques se trouve le joyau du roi Alfred. Une salle est consacrée aux œuvres des peintres préraphaélites.*

CI-CONTRE: *La bibliothèque Bodleian, d'abord fondée par Humfrey, Duc de Gloucester, vers 1445 et fondée à nouveau par Thomas Bodley en 1598 après sa dispersion sous le règne d'Edouard VI. La bibliothèque abrite maintenant plus de 2 millions de volumes.*

sourire avec ironie. Elle commémore un certain William Pound, portier du collège, qui 'par une vie et une conduite exemplaire et un dévouement loyal aux devoirs de son poste mérita et obtint l'approbation et l'estime de tous'. Les collèges et les générations successives d'étudiants doivent à William Pound et à ses semblables une dette incalculable pour la façon dont ils ont contribué à la vie locale. Maintenant les fils ne succèdent plus à leur père au service d'un collège. Pour la première fois de son histoire l'université a cessé d'être le plus important employeur d'Oxford. Elle a résisté à tous les efforts pour introduire une industrie secondaire à Oxford, mais Cowley s'est développé si rapidement et de façon si inattendue que l'université n'aurait presque rien pu y faire, même si elle l'avait voulu. William Morris, qui devint plus tard Lord Nuffield, partant de très peu a développé une industrie de l'automobile qui a transformé la ville d'Oxford d'une façon que l'on peut seulement comparer aux effets à long terme qu'eut l'arrivée des étudiants il y a 800 ans. Ce faisant il a donné aux citadins un degré d'indépendance dans le choix d'un emploi, ce qui n'était pas permis à leurs

prédécesseurs—cela ne peut être qu'une bonne chose, même si ce n'est guère commode pour les intendants des collèges!

Inévitablement dans ce bref résumé de l'histoire de la ville et de l'université on a fait surtout référence à des événements profondément gravés dans la mémoire publique. Mais pour quiconque a jamais été à Oxford, soit comme étudiant ou simplement comme visiteur faisant le tour de ses collèges médiévaux, tout cela, quand bien même l'on s'en souvient, est recouvert par une foule de souvenirs personnels qui donne à chacun sa propre image d'Oxford: les réjouissances d'un matin de mai, un bal au collège, une promenade en bachot sur la rivière, des heures de bavardage indolent dans un café, des discussions tard dans la nuit sur la politique, la morale ou tout autre qui vient à l'esprit, le service du soir un jour d'hiver à la cathédrale, le parc des cerfs à Magdalen, le cricket dans les jardins, les galeries de l'Ashmolean, une exécution de la messe en si mineur au Sheldonian, les courses de Eights Week sur la rivière—la liste est sans fin. Toutes ces choses forment l'image que le visiteur emporte fixée indéra-

cinablement dans sa mémoire : une ville vers laquelle il reviendra toujours avec plaisir et une affection de plus en plus profonde, comme vers les autres grands centres de la civilisation européenne.

★

EN HAUT, A GAUCHE: *Broad Street. Nous y voyons quatre des 'têtes d'empereurs' (restaurées en 1974) à l'extérieur du Sheldonian Theatre. Certains pensent que ce sont les apôtres ou des philosophes anciens!*

EN HAUT, A DROITE: *Le mémorial aux martyrs, 1841, conçu par Scott et érigé par les protestants en plein mouvement d'Oxford pour commémorer les 'martyrs protestants', Cranmer, Latimer et Ridley.*

CI-CONTRE: *Radcliffe Camera. Conçue par James Gibbs, c'est l'un des plus beaux exemples de bibliothèque circulaire en Angleterre. En 1863 les arches inférieures furent vitrées et une nouvelle entrée fut ajoutée pour fournir une salle de lecture supplémentaire.*

CI-DESSUS: *Eights Week fait invariablement partie de l'emploi du temps d'Oxford pendant le trimestre d'été. Les courses d'aviron à 8 rames virent le jour à Eton et commencèrent à Oxford en 1815. Les canots des différents collèges partent à intervalles réguliers et le but de la course est de rattraper le canot qui vous précède et de heurter sa poupe. Lors de la course finale, le collège dont le canot est le premier à franchir la ligne d'arrivée sans être 'cogné' est déclaré 'Head of the River' (chef de la rivière) pour l'année.*

A GAUCHE: *La foire de St Giles. 'C'est une sorte de fête implacable. Toute la large rue de St Giles est fermée, la circulation est détournée, le commerce est perturbé et partout, parmi les platanes, prolifèrent les spectacles, les roulottes, et les génératrices palpitantes des forains. C'est la tradition la plus bruyante d'Oxford, dont une partie des bénéfices va à la ville et une autre partie au collège de St John, le propriétaire foncier local.' (James Morris: Oxford. Cité avec l'aimable permission de Faber & Faber Ltd.)*

24

SBN 85372 316 8